D1107251

GRANDES CIVILIZACIONES

EGIPTO

Parramón

Proyecto y realización
Parramón Ediciones, S.A.

Dirección editorial
Lluís Borràs

Ayudante de edición
Cristina Vilella

Textos
Eva Bargalló

Diseño gráfico y maquetación
Estudi Toni Inglés (Alba Marco)

Ilustraciones
Estudio Marcel Socías

Dirección de producción
Rafael Marfil

Producción
Manel Sánchez

Tercera edición: septiembre 2005

Grandes civilizaciones
Egipto
ISBN: 84-342-2612-X

Depósito Legal: B-36.705-2005

Impreso en España

Ronda de Sant Pere, 5, 4ª planta
08010 Barcelona (España)
Empresa del Grupo Editorial Norma

www.parramon.com

SUMARIO

ALREDEDOR DEL FABULOSO NILO

Hace más de 5.000 años, en una amplia región vertebrada por uno de los ríos más largos del mundo, el Nilo, se desarrolló una de las más asombrosas y duraderas civilizaciones de la humanidad: la civilización egipcia. Una cultura que destacó no sólo por sus impresionantes obras artísticas y arquitectónicas sino también por su sabiduría y conocimiento científico.

Por todo ello queremos presentar a los jóvenes lectores los principales rasgos de esta apasionante civilización. Iniciamos la obra con una breve introducción a modo de resumen y marco espacial y temporal de los once temas que se desarrollarán a continuación. Estos temas están presididos por una pequeña presentación y organizados a partir de una imagen central, que sirve para explicar, de forma clara y concisa, diversos aspectos de la cultura y la historia egipcias relacionados con la ilustración. Asimismo, en recuadros complementarios se amplía el contenido del tema o se ofrece información adicional.

Con el fin de facilitar la lectura y complementar la información, en la última doble página se incluye un glosario de términos y una cronología en la que se enmarcan las dinastías faraónicas.

En la selección de los temas y el desarrollo de los contenidos ha primado el atractivo de éstos por encima de la exhaustividad, dado que nuestros objetivos primordiales son despertar el interés del joven lector por el estudio de la historia de las grandes civilizaciones sin abrumarlo con excesivos datos históricos y, a la vez, incentivarlo para que se aproxime al estudio de la materia.

DIOSES, FARAONES Y PIRÁMIDES

Expansión durante el Imperio Antiguo (siglos XXVII a XXII a.C.).

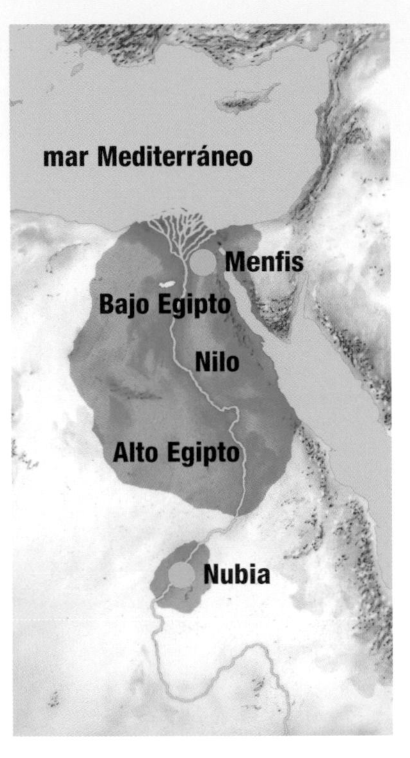

LA CIVILIZACIÓN DE LOS GRANDES FARAONES

Hace cientos y cientos de años, en el tercer milenio antes de Cristo, en el valle del Nilo surgió una gran civilización que duró casi hasta el comienzo de nuestra era: la civilización egipcia. Este extenso y extraordinario período de la historia y la cultura humana estuvo regido por grandes faraones que se erigieron en defensores de la tradición. Los antiguos reyes egipcios se presentaron a sí mismos como intermediarios entre los hombres y los dioses y mantenedores del equilibrio cósmico y, en consecuencia, del óptimo funcionamiento del país.

EL NILO: EL DON DE LOS DIOSES

Las aguas de este río, que inundan todos los años las tierras del valle y las fertilizan, junto a unas condiciones climáticas adecuadas, hicieron posible el desarrollo de la agricultura y la ganadería. Estos factores facilitaron el asentamiento humano que, con el tiempo, dio lugar a lo que hoy conocemos como la civilización del antiguo Egipto.

Expansión durante el Imperio Medio (siglos XX a XVIII a.C.).

UN GRAN IMPERIO DIVIDIDO EN PERÍODOS Y DINASTÍAS

Con el fin de facilitar y estructurar su estudio, la civilización egipcia ha sido dividida por los historiadores en cuatro etapas fundamentales: el Imperio Antiguo, el Imperio Medio, el Imperio Nuevo y el período tardío. Los intervalos entre una y otra fase se conocen como primer, segundo y tercer período intermedio, respectivamente.

Asimismo, la documentación y los múltiples restos artísticos y arquitectónicos que se han conservado hasta nuestros días nos han permitido conocer y fechar las treinta y una dinastías que reinaron desde el comienzo de esta civilización.

Paleta de pizarra del faraón Narmer, que conmemora la unificación del Alto y el Bajo Egipto.

Expansión del imperio egipcio a mediados del segundo milenio a.C.

EL IMPERIO ANTIGUO

Este gran período de la historia egipcia comprende desde la III hasta la VI dinastías. Antes, el rey Menes, primer faraón de la I dinastía, unificó el Alto y el Bajo Egipto en una sola y extensa región y fundó la ciudad de Menfis, que se convirtió en la capital del imperio unificado. Desde esta urbe, la administración faraónica organizó la explotación económica del país a través de sus funcionarios. Los monarcas ejercieron el dominio absoluto y la religión estuvo ligada desde el principio al poder de los faraones, que eligieron como tipología de sus tumbas las pirámides.

Imhotep, el artífice de las pirámides

Este gran arquitecto decidió sustituir el adobe por otro material, la piedra, e ideó una pirámide escalonada como morada eterna de los restos mortales del rey Zoser: la pirámide de Saqqara. A partir de este primer ejemplo, este tipo de sepulcro evolucionó hasta alcanzar la perfección geométrica y formal de la necrópolis de Gizeh, constituida principalmente por tres pirámides: la de Keops, la de Kefrén y la de Mikerinos. El interior de las pirámides había sido concebido como un laberinto hermético para disuadir a los profanadores de tumbas; sin embargo, éstos, deseosos de poseer las joyas ocultas en la cámara real, no se dejaron amedrentar por la oscuridad y la estrechez de los pasillos y, a menudo, alcanzaron su objetivo.

A diferencia de los faraones, los altos funcionarios del imperio se hacían enterrar en tumbas de carácter más humilde, las mastabas, dispuestas alrededor de las pirámides reales.

La edad dorada de la cultura

La magnificencia de la cultura y el arte egipcios no se limitó a la arquitectura. Otros ámbitos, como la escultura, o la navegación, la astronomía y la medicina, también resplandecieron con luz propia. Así, se realizaron grandes estatuas de piedra y madera, hieráticas y rígidas, con una marcada frontalidad; y hermosos relieves que decoraban

Bajorrelieve que representa el traslado de una estatua colosal, con toda probabilidad para ser colocada en un templo.

Las mastabas eran construcciones funerarias de carácter tumular. Tenían una parte visible y otra subterránea, a la que se accedía por medio de pozos.

las paredes de los templos y las tumbas con escenas usualmente religiosas, de glorificación del faraón o de la vida cotidiana. En ellas, el cuerpo humano, sobre todo el de los faraones y los altos dignatarios, se representaba en dos dimensiones, siempre de frente y de perfil.

Del mismo modo, los médicos mostraron un profundo conocimiento del cuerpo humano y, en concreto, del sistema circulatorio; y los astrónomos establecieron el calendario anual de 365 días.

UN LARGO PERÍODO DE INESTABILIDAD Y CONVULSIÓN

Desde el final del Imperio Antiguo hasta el comienzo del Nuevo, Egipto pasó por una etapa de decadencia, a pesar de los intentos de los reyes de la XI y la XII dinastías por restablecer el orden, el equilibrio y la unidad en el país.

Después del reinado del faraón Pepi I, las provincias del imperio comenzaron a eludir el control de la monarquía y a organizarse en pequeños reinos. A su vez, los beduinos invadieron la región del Delta, y el imperio se sumió en la violencia y la corrupción. Esta fase de desconcierto y recesión duró hasta el año 1991 a.C., en que se fundó la XII dinastía.

Antes, un faraón de la XI dinastía, Mentuhotep II, reunificó el territorio e instauró la capital del imperio en Tebas. Pero el primer monarca de la XII dinastía, Amenemes I, originario de aquella ciudad, estableció una capital cerca de Menfis y frenó las pretensiones tebanas, favoreciendo la unidad del país. Asimismo, él y sus descendientes protegieron la literatura y las artes.

Durante el segundo período intermedio los hicsos invadieron Egipto desde Asia occidental. Los pueblos extranjeros se establecieron en Avaris, la nueva capital del país, y desde allí controlaron en especial la región del Bajo Egipto.

EL IMPERIO NUEVO

El fundador de la XVIII dinastía, Amosis I, puso fin a la dominación de los hicsos y reunificó todos los territorios. De este modo dio comienzo una era de glorias

El escriba era un funcionario del estado, cuyas competencias se extendían más allá de sus conocimientos de la escritura.

militares –se firmaron alianzas con Mittani, reino de Asia Menor, y las conquistas por el sur llegaron hasta la cuarta catarata del Nilo– y renacimiento de las artes y la cultura egipcias.

Los faraones del Imperio Nuevo escogieron el Valle de los Reyes como emplazamiento para sus necrópolis. Las tumbas, excavadas en la roca, contenían cuantiosos tesoros y valiosos relieves y pinturas. Este último arte gozó de una amplia difusión y una extraordinaria calidad: decoraba paredes y sarcófagos con un estilo muy lineal, minucioso y detallista. Las escenas reproducían los procesos de creación de esculturas y piezas de artesanía y la fabricación de alimentos e ilustraban temas de carácter religioso y funerario, además de aspectos de la vida cotidiana de los faraones y la población. De este período también se conservan excelentes joyas elaboradas con metales preciosos que muestran una gran habilidad técnica.

Los principales clientes de los orfebres eran los faraones o miembros de la corte real. Por regla general, las joyas servían de ornamento pero también de amuleto en el viaje al Más Allá.

En el ámbito de la arquitectura, el templo goza de un profundo desarrollo. En Karnak, el culto a Amón dio como resultado la construcción y ampliación de templos en su honor, con vastas salas hipóstilas, columnas, obeliscos y estatuas colosales. Algunos famosos monumentos como Dayr al-Bahari o Abu Simbel constituyen igualmente ejemplos de las ansias de glorificación e inmortalidad de los grandes faraones de esta etapa.

EL FIN DE UN GRAN IMPERIO Y DE UNA ESPLÉNDIDA CIVILIZACIÓN

En las postrimerías del segundo milenio antes de Cristo, el imperio de los faraones se sumió en un período de decadencia del que ya no volvería a emerger. En el primer milenio, la dominación persa y, más tarde, la conquista de los griegos y los romanos puso fin a las dinastías locales. La extensa región del Nilo pasó a ser una más entre las grandes provincias de estos nuevos imperios que, no obstante, supieron valorar y sacar provecho de la sabiduría y la riqueza artística y cultural de ese pueblo tres veces milenario.

EL RÍO DE LA VIDA

Uno de los ríos más largos del planeta, el Nilo, cruza las tierras egipcias para desembocar en el mar Mediterráneo, formando un amplio delta. Los desbordamientos cíclicos en el curso bajo de esta inmensa arteria fluvial permitieron la aparición de fértiles llanuras y el desarrollo de una extraordinaria civilización, la egipcia, que aprovechó sus aguas no sólo para crear una próspera agricultura sino también como vía de comunicación y columna vertebral de un gran imperio que duró más de tres milenios.

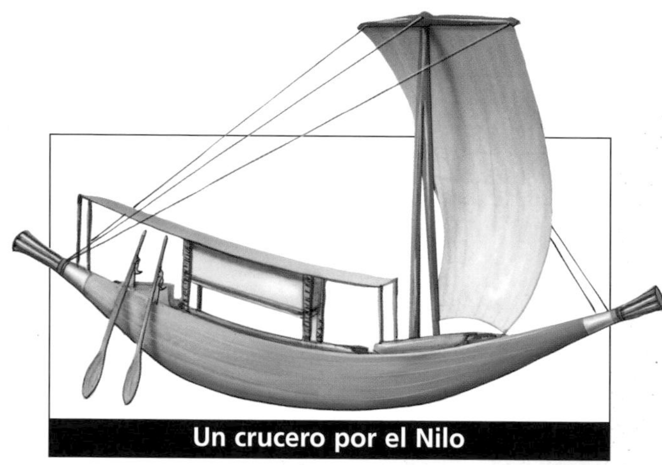

Un crucero por el Nilo

El barco era el medio de transporte más utilizado por los antiguos egipcios. Por regla general empleaban la madera como principal material de construcción. La vela era, probablemente, de forma trapezoidal, más alta que ancha.

Abydos
ciudad santa dedicada al culto al dios Osiris y donde se levanta un templo mortuorio que fue mandado construir por el faraón Seti I

Valle de los Reyes
paraje utilizado por los faraones del Imperio Nuevo para construir sus tumbas con el fin de mantenerlas ocultas a los ávidos ojos de los ladrones y profanadores

Dayr al-Bahari
lugar cercano al Valle de los Reyes elegido por la reina Hatsepsut para construir su templo funerario

Abu Simbel
en este lugar Ramsés II hizo construir dos imponentes templos excavados en la roca. La construcción de la presa de Asuán obligó a trasladarlos a otro lugar más elevado

Alto Egipto

Nubia

Asuán

File
templo construido en época tolemaica y dedicado a la diosa Isis; modernamente, a causa de la construcción de la presa de Asuán, fue trasladado de File a la isla Aguilkia para preservarlo de las aguas

Edfú
en este lugar se levanta un templo dedicado al dios Horus que es el mayor y mejor conservado de los edificios correspondientes al reinado de la dinastía tolemaica

UN MAR INTERIOR

En 1892 se comenzó a construir una presa en el Nilo, al sur de la ciudad de Asuán. Más adelante, entre 1960 y 1970, se erigió otra presa mayor, que obligó a trasladar algunos famosos monumentos, como el de Abu Simbel, a otros parajes más elevados con el fin de resguardarlos de las aguas.

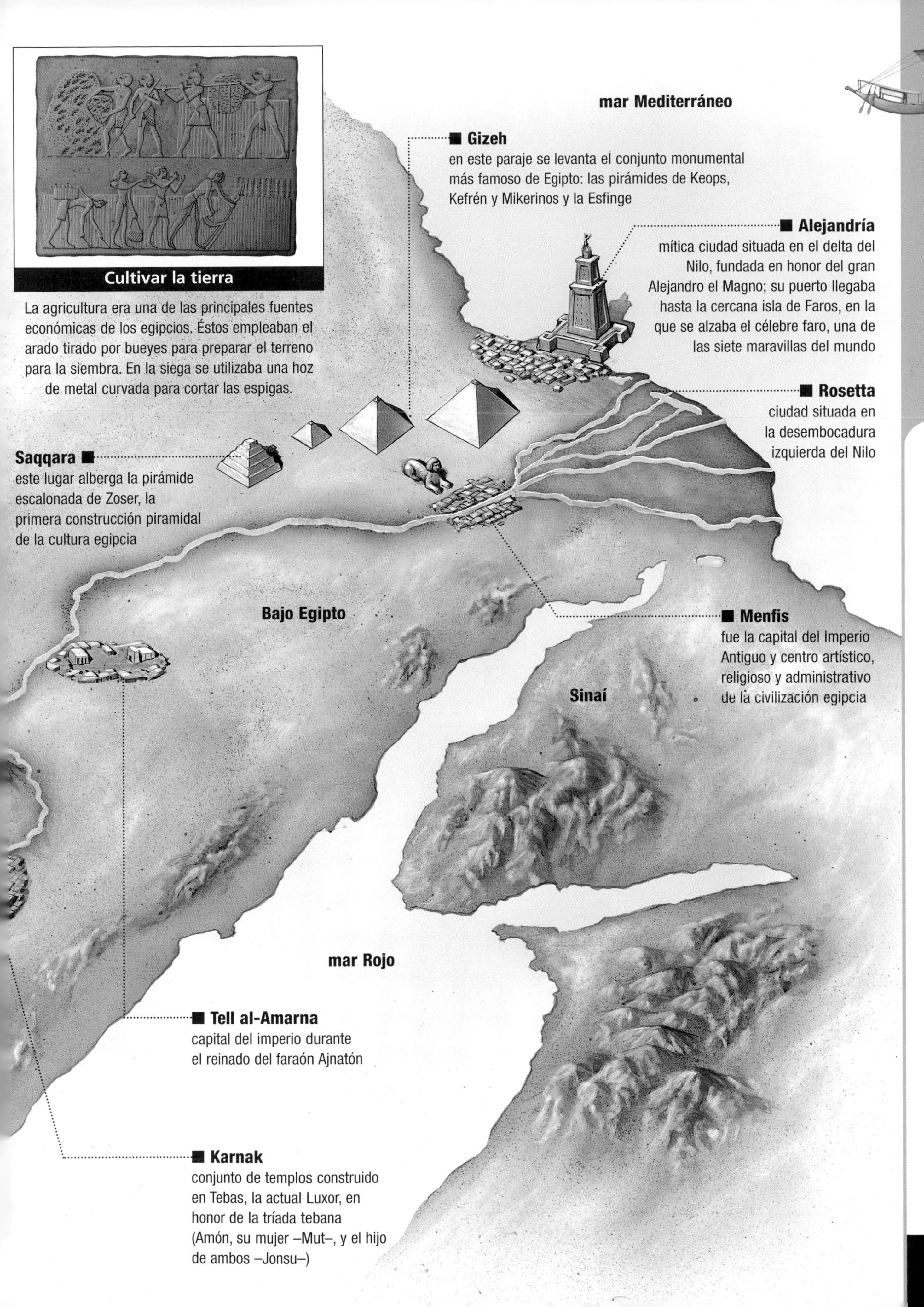
mar Mediterráneo
Gizeh
en este paraje se levanta el conjunto monumental más famoso de Egipto: las pirámides de Keops, Kefrén y Mikerinos y la Esfinge
Alejandría
mítica ciudad situada en el delta del Nilo, fundada en honor del gran Alejandro el Magno; su puerto llegaba hasta la cercana isla de Faros, en la que se alzaba el célebre faro, una de las siete maravillas del mundo
Rosetta
ciudad situada en la desembocadura izquierda del Nilo
Saqqara
este lugar alberga la pirámide escalonada de Zoser, la primera construcción piramidal de la cultura egipcia
Bajo Egipto
Menfis
fue la capital del Imperio Antiguo y centro artístico, religioso y administrativo de la civilización egipcia
Sinaí
mar Rojo
Tell al-Amarna
capital del imperio durante el reinado del faraón Ajnatón
Karnak
conjunto de templos construido en Tebas, la actual Luxor, en honor de la tríada tebana (Amón, su mujer –Mut–, y el hijo de ambos –Jonsu–)

Cultivar la tierra

La agricultura era una de las principales fuentes económicas de los egipcios. Éstos empleaban el arado tirado por bueyes para preparar el terreno para la siembra. En la siega se utilizaba una hoz de metal curvada para cortar las espigas.

EL REY-DIOS

El faraón era el jefe civil, religioso y militar del antiguo Egipto. Se creía que era hijo del dios Osiris y que gobernaba en la Tierra actuando como intermediario entre los dioses y los hombres. La mayoría de las múltiples representaciones que existen de los faraones en escultura y pintura no responden a un retrato fidedigno del personaje sino a una imagen idealizada, reflejo de su categoría social y su condición divina.

jepresh
los faraones del Imperio Nuevo solían llevar esta corona, también conocida como corona azul o de guerra, en la que aparece una cobra, símbolo del Bajo Egipto

cetro
Ramsés II sujeta con la mano derecha el cetro heqat, con forma de cayado, símbolo de poder y autoridad

Ramsés II
este gran faraón de la XIX dinastía, hijo de Seti I, hizo construir algunos de los más importantes monumentos del antiguo Egipto, como el Rameseo o los templos de Abu Simbel

EL REY HEREJE

El faraón Ajnatón tenía una concepción del mundo distinta de sus predecesores. Por esa razón declaró el culto único al dios Atón y prohibió la adoración de otras divinidades. Estos cambios, aunque duraron poco tiempo, dejaron su huella en el arte, que se tornó más realista y humano.

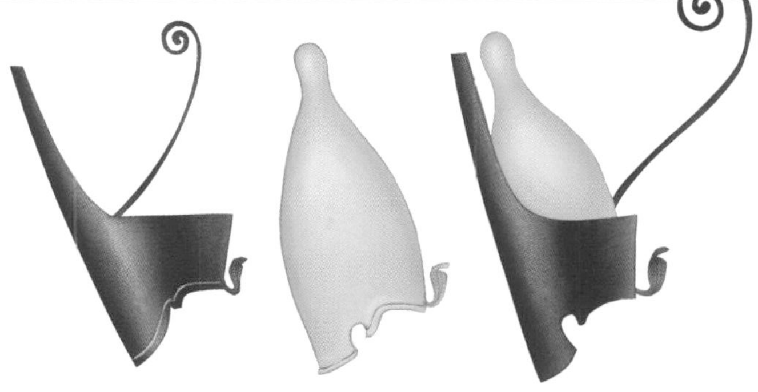

corona roja del Bajo Egipto

corona blanca del Alto Egipto

corona doble del Alto y Bajo Egipto

Atributos reales

El faraón solía ser representado con una serie de atributos que eran símbolos de su poder y su autoridad. Gracias a ellos ha sido más fácil la identificación de las representaciones con un personaje concreto y una época.

■ Nefertari
fue la esposa favorita de Ramsés II; su tumba, situada en el Valle de las Reinas, contiene uno de los conjuntos pictóricos más importantes del antiguo Egipto

■ estatua
en esta escultura, realizada en granito negro, el faraón aparece representado como gran señor, pisando con sus pies a los enemigos del imperio, en la parte frontal e inferior del trono

LOS MORADORES CELESTIALES

La religión del antiguo Egipto es muy compleja, puesto que está poblada por dioses con distintos atributos y personificaciones. Los egipcios creían que la sociedad estaba constituida por los dioses, los faraones y los seres humanos, y que el faraón era el mediador entre ambos. Durante el culto a las divinidades, el faraón y los sacerdotes se ocupaban de que a éstas no les faltara nada, y las deidades, a su vez, protegían a los hombres a través del faraón.

LA LEYENDA DE ISIS Y OSIRIS

Según la mitología egipcia, Osiris, hijo de Geb (dios de la tierra) y Nut (diosa del cielo), gobernaba el mundo, y fue asesinado por su hermano Seth, quien lo cortó en pedazos. Pero Isis, devota esposa y hermana de Osiris, recogió los fragmentos y consiguió reanimar el cadáver. Más adelante, Horus, el hijo de ambos, vengó la muerte de su padre matando a su tío Seth.

■ Isis
diosa de la fertilidad y de la maternidad; hermana y esposa de Osiris y madre de Horus; se la suele representar con forma humana y cuernos de vaca o un trono encima de la cabeza

■ Osiris
esposo y hermano de Isis y dios del Más Allá; es representado con apariencia humana, envuelto en un sudario y con la cara y las manos de color verde, que simbolizaba la resurrección

■ Horus
hijo de Isis y Osiris y dios protector de la monarquía; por regla general se le representa con cuerpo humano y cabeza de halcón

■ **Ra**
personificación del Sol, a menudo asociado a otros dioses, que participaban de su naturaleza solar

■ **Seth**
hermano de Osiris y dios del caos, la guerra y la tempestad

■ **Anubis**
dios de los muertos y de las ceremonias funerarias; habitualmente toma la forma de ser humano con cabeza de chacal

■ **Amón**
dios representado como un carnero que fue asociado al dios del Sol y denominado Amón-Ra, el padre de todos los dioses

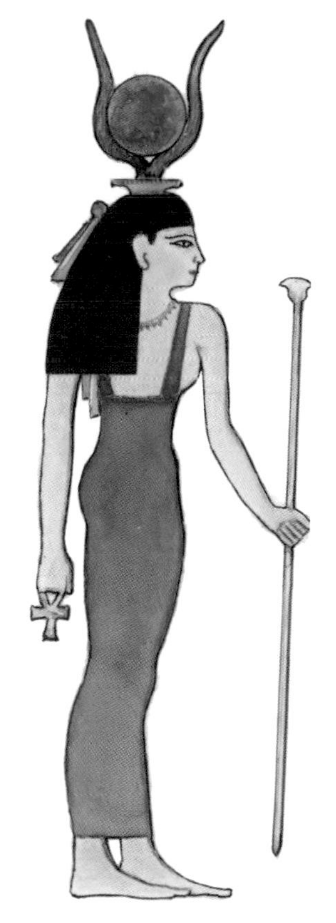

■ **Hator**
diosa protectora de la alegría y el amor y esposa de Horus; en Dandara fue construido un templo en su honor

■ **Nut**
diosa del cielo; según la mitología egipcia, fue separada de su esposo, Geb (la tierra), por el padre de ambos, Shu (el aire)

UN LABERINTO INEXPUGNABLE

Los grandes faraones del Antiguo Imperio utilizaron como lugar de enterramiento la pirámide, surgida de la superposición de mastabas, o antiguas construcciones funerarias, constituidas por una plataforma rectangular. El alzamiento de este imponente monumento tenía como objeto no sólo venerar la figura del faraón sino también convertir en inexpugnable su sepulcro real y todas las riquezas que en él se ocultaban. El conjunto piramidal solía incluir otros edificios y construcciones que, aunque eran secundarios, desempeñaban un papel primordial en los ritos funerarios que acompañaban al cortejo fúnebre.

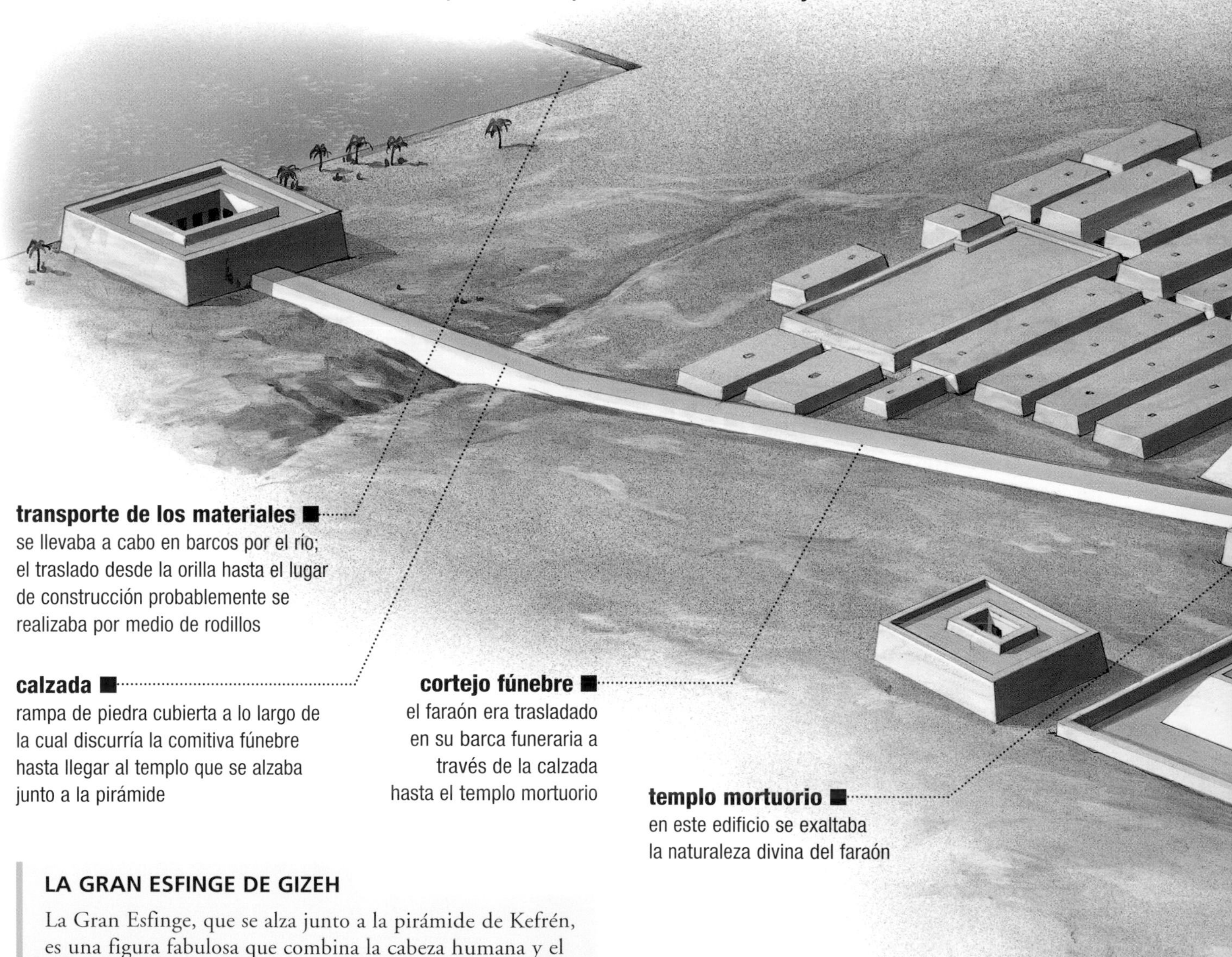

transporte de los materiales se llevaba a cabo en barcos por el río; el traslado desde la orilla hasta el lugar de construcción probablemente se realizaba por medio de rodillos

calzada rampa de piedra cubierta a lo largo de la cual discurría la comitiva fúnebre hasta llegar al templo que se alzaba junto a la pirámide

cortejo fúnebre el faraón era trasladado en su barca funeraria a través de la calzada hasta el templo mortuorio

templo mortuorio en este edificio se exaltaba la naturaleza divina del faraón

LA GRAN ESFINGE DE GIZEH

La Gran Esfinge, que se alza junto a la pirámide de Kefrén, es una figura fabulosa que combina la cabeza humana y el busto femenino con el cuerpo y las garras del león. Las excavaciones arqueológicas efectuadas en su base permitieron identificar este inquietante monumento con los restos de un antiguo templo.

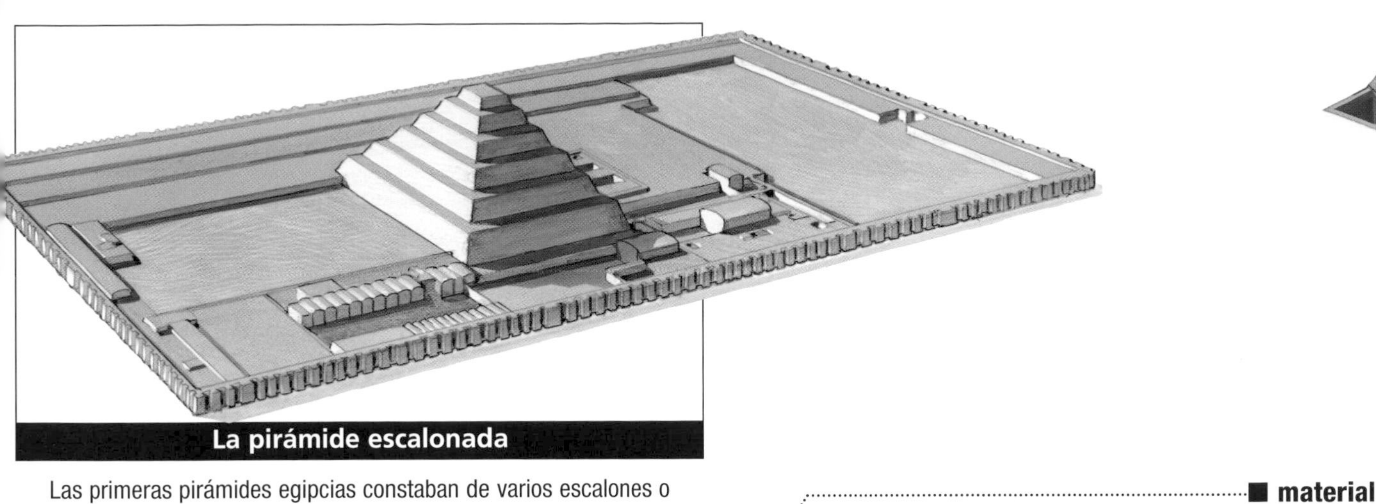

La pirámide escalonada

Las primeras pirámides egipcias constaban de varios escalones o plataformas superpuestas. La pirámide escalonada que se levanta en el centro del impresionante complejo funerario erigido por el emperador Zoser, en Saqqara, constituye un buen ejemplo de este tipo de construcción monumental.

■ material
el interior se construía con piedra extraída de las canteras cercanas. En la realización de los revestimientos exteriores se empleaba piedra de mayor calidad procedente de otras canteras más lejanas

■ estructura interior
un corredor descendente desembocaba en una cámara falsa; otro pasillo ascendente conducía hasta una galería, que daba acceso a las cámaras reales

■ sistema constructivo
la elevación de los bloques de piedra se llevaba a cabo mediante la construcción de rampas perpendiculares a las caras de la pirámide

■ pirámide
albergaba el cuerpo del difunto y el ajuar que le acompañaba en su futura vida en el Más Allá

cámara del rey ■

galería ■

■ entrada

■ cámara de la reina

■ corredor ascendente

corredor ■ descendente

cámara falsa ■

EL TRABAJO EN EQUIPO

La mayor parte de las obras artísticas del antiguo Egipto son anónimas y se solían realizar en talleres. Los principales clientes de estos talleres eran los faraones y los miembros de la corte real. En los talleres, los artesanos trabajaban en equipo, dirigidos por un jefe; por regla general, el encargado de esbozar y plantear el diseño de las obras artísticas era un sacerdote. Pero el trabajo en equipo también se aplicaba en otras facetas de la vida cotidiana, como en la producción de bebidas y alimentos.

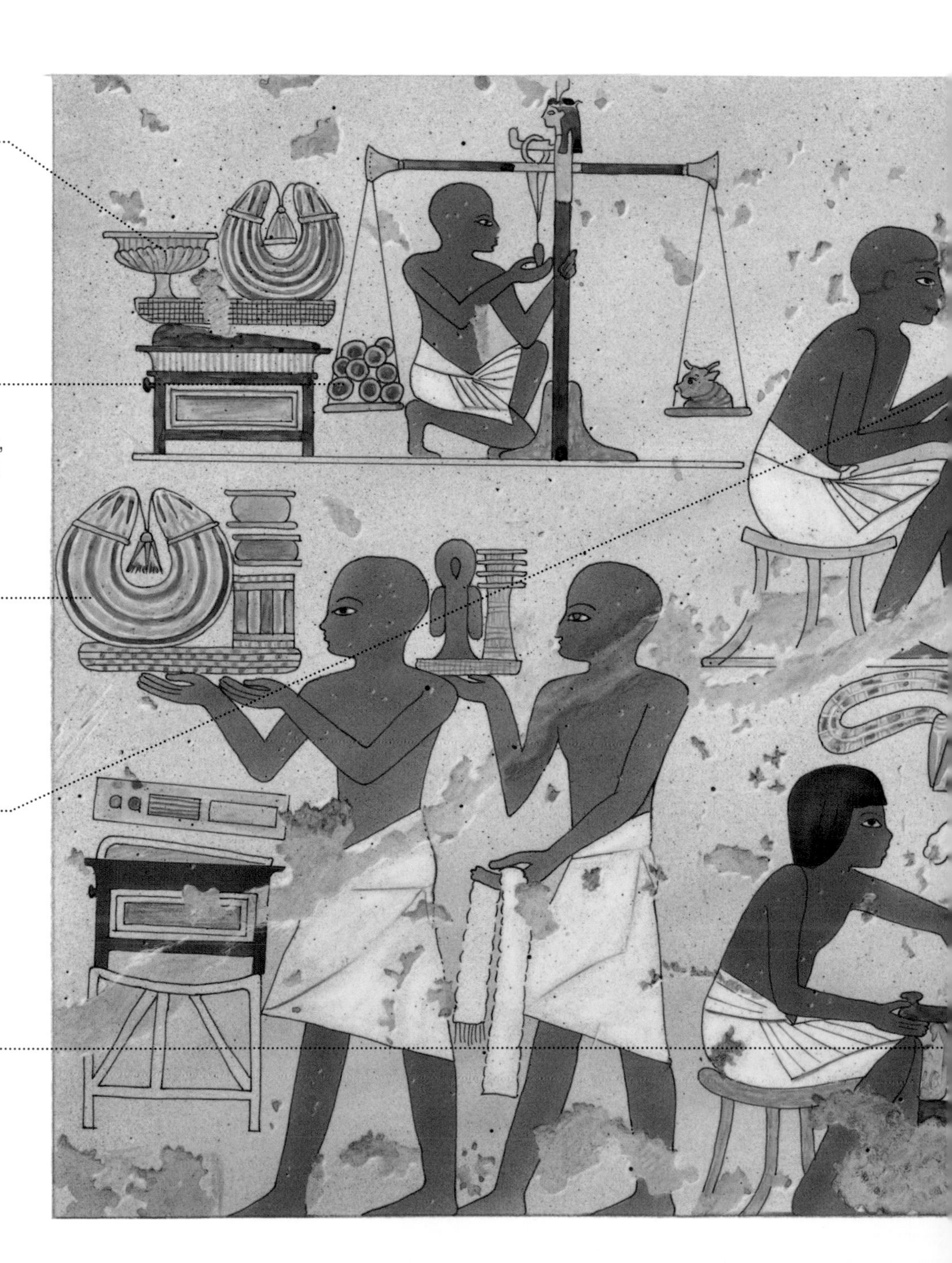

orfebrería
los principales clientes de joyas eran los faraones y su corte; las joyas eran distintivos sociales y amuletos que acompañaban al muerto en su viaje al Más Allá

materiales de orfebrería
el oro era uno de los materiales más empleados; también se utilizaron otros, pero en menor grado, como la plata, el cobre, el estaño, el bronce y el electro

cloisonné
una de las técnicas más utilizadas en orfebrería, consistía en dibujar una silueta con tiras de oro que luego se rellenaban con esmalte

el uso del color en pintura
la paleta del pintor se limitaba a unos pocos colores planos. Los más empleados fueron el negro, el blanco, el azul, el verde, el rojo, el amarillo y el rosa

un color para cada cosa
el rojo era el color de la madera, la cerámica, el desierto y el cuerpo masculino; el amarillo y el oro, los de la figura femenina; el negro, el de los cabellos y los ojos; y el azul, el del cielo y el agua

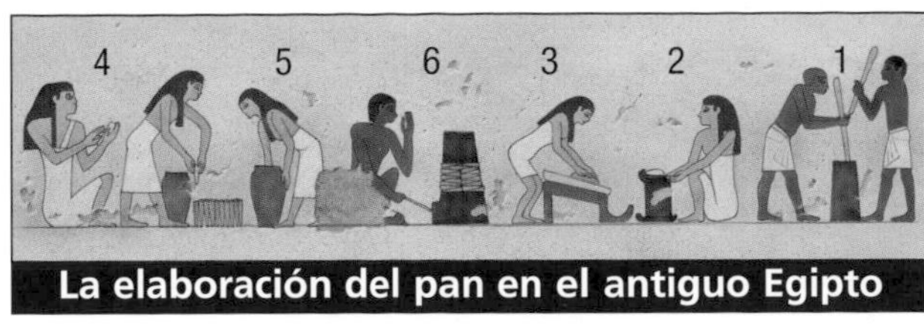

La elaboración del pan en el antiguo Egipto

En primer lugar se muele el grano con el mortero (1) o con un molinillo de mano (2); a continuación se procede al cribado (3); se fabrican moldes de pan con arcilla (4) y se rellenan con la masa (5). Para finalizar el proceso se cuece el pan en el horno (6).

Paso a paso de la fabricación de cerveza egipcia

En la producción de cerveza, primero se trabajaba la masa y se le añadían dátiles y especias (1); después, la masa se mezclaba con agua (2) y se vertía el líquido en las jarras (3). Por último, se sellaban los recipientes (4).

LOS CÁNONES DE LAS FIGURAS

Las figuras erguidas eran trazadas en una hoja de papiro o un soporte de piedra divididos en dieciocho filas de cuadrados. Así, por ejemplo, desde la frente hasta la base del cuello correspondían dos filas de cuadrados; o de las rodillas a la base de los pies, seis filas de cuadrados. Este canon estuvo en vigor sin alteraciones importantes hasta la Baja Época.

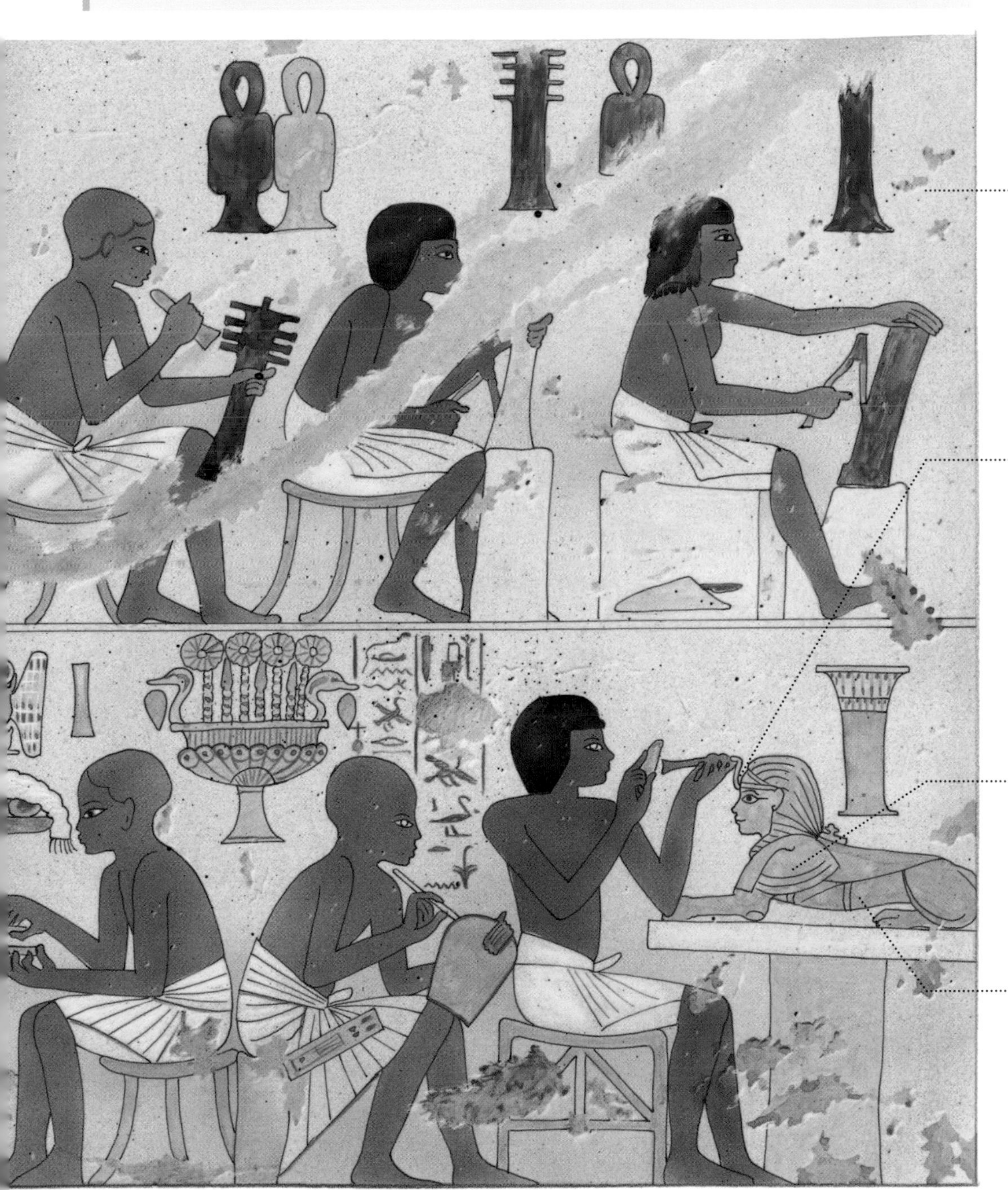

■ **manufactura artística**
en esta pintura, orfebres, carpinteros, escultores y grabadores elaboran las distintas piezas trabajando en equipo

■ **acabados en escultura**
muchas de las producciones escultóricas se policromaban y los ojos de las figuras se solían confeccionar con piedras de distintos colores

■ **escultura**
la mayoría de las estatuas del antiguo Egipto se han encontrado en recintos de carácter funerario

■ **materiales de la escultura**
el material más empleado fue la piedra; sin embargo, también se utilizó la madera y el metal, como el cobre o el bronce

EL CEMENTERIO DE LOS FARAONES

El Valle de los Reyes, situado en la orilla occidental del río Nilo, fue elegido por los faraones del Imperio Nuevo como emplazamiento de sus panteones reales, probablemente con el fin de ocultarlos a los ojos de los ladrones y profanadores de tumbas. La mayoría de las tumbas descubiertas (en estas páginas la de Seti I), más de treinta, fueron excavadas en la roca y contienen múltiples estancias decoradas con textos jeroglíficos y escenas simbólicas y religiosas. A excepción de Hatsepsut, que gobernó como reina, las esposas de los faraones eran enterradas en el cercano Valle de las Reinas.

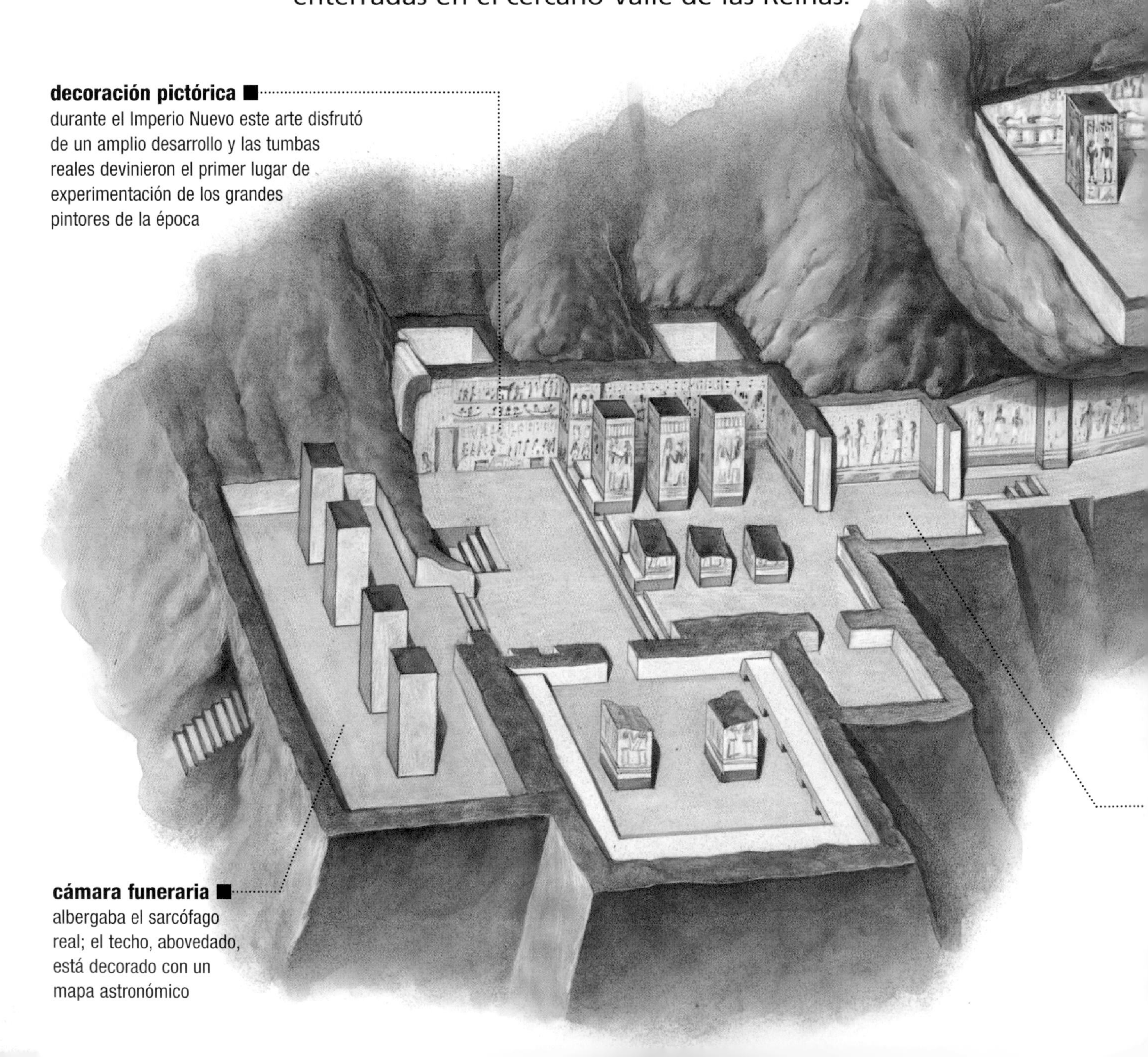

decoración pictórica ■ durante el Imperio Nuevo este arte disfrutó de un amplio desarrollo y las tumbas reales devinieron el primer lugar de experimentación de los grandes pintores de la época

cámara funeraria ■ albergaba el sarcófago real; el techo, abovedado, está decorado con un mapa astronómico

EL VALLE DE LAS REINAS

Este lugar estaba reservado a las reinas y los príncipes del final del Imperio Nuevo. Una de las tumbas más importantes de esta necrópolis es la de Nefertari, que contiene un extraordinario conjunto de pinturas, entre las que cabe destacar una imagen de la reina jugando al ajedrez.

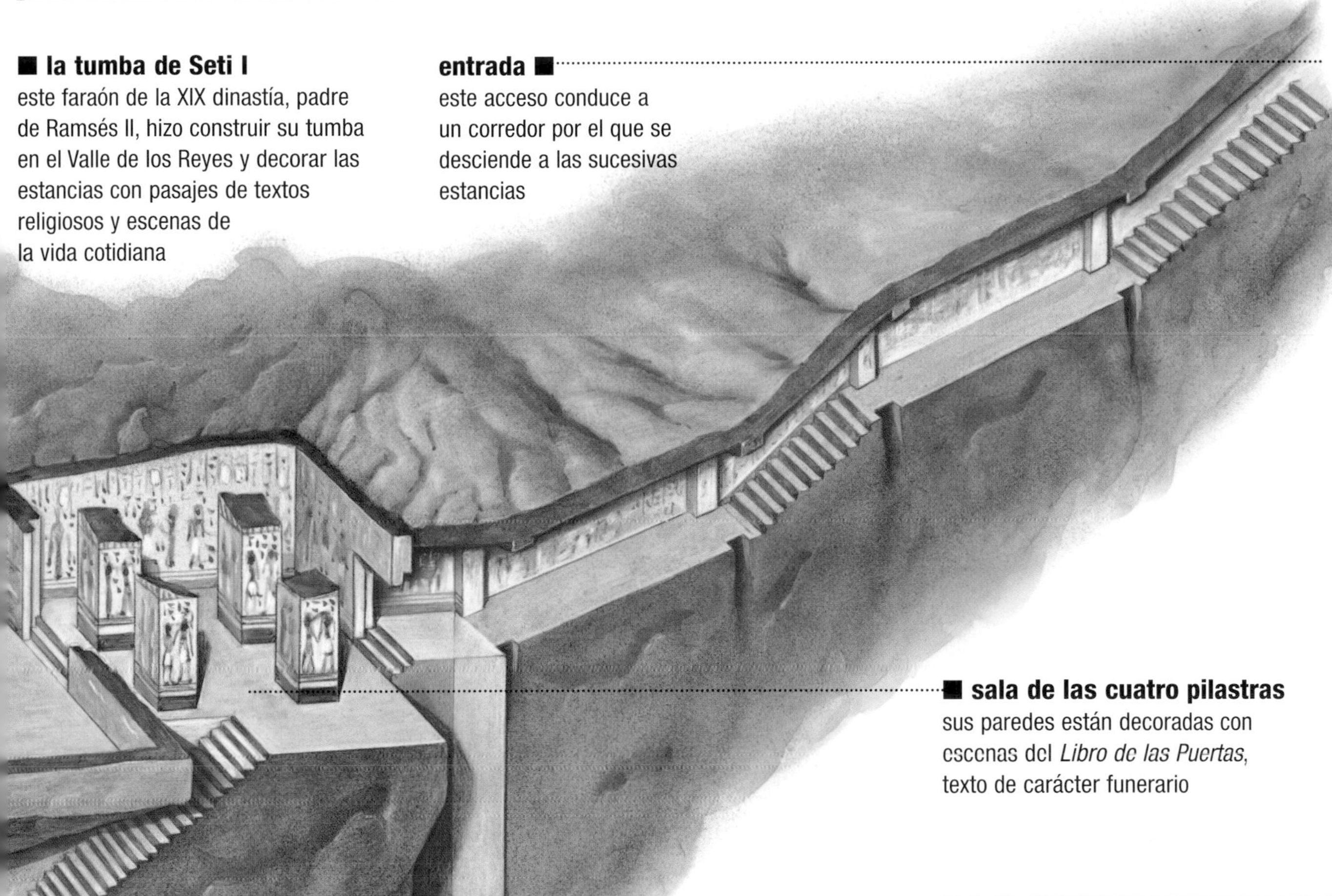

la tumba de Seti I
este faraón de la XIX dinastía, padre de Ramsés II, hizo construir su tumba en el Valle de los Reyes y decorar las estancias con pasajes de textos religiosos y escenas de la vida cotidiana

entrada
este acceso conduce a un corredor por el que se desciende a las sucesivas estancias

sala de las cuatro pilastras
sus paredes están decoradas con escenas del *Libro de las Puertas*, texto de carácter funerario

pozo ritual
está relacionado con la función purificadora del agua, que es el principio de fuerza de la vida

escalera
por ella se accede a las cámaras inferiores de la tumba

antecámara
las paredes de los corredores se decoraban con escenas que servían de guía para el viaje del faraón al Más Allá

Ofrenda a los dioses

La tumba del faraón Horemheb, situada en el Valle de los Reyes, contiene un notable conjunto de pinturas murales. En esta representación, el faraón ofrece dos jarritas de vino a la diosa Hator.

EL REINO DE OSIRIS

Los antiguos egipcios creían que el cuerpo estaba constituido por tres elementos fundamentales: el alma o *bai*, la fuerza vital o *ka* y la fuerza divina o *aj*. Al morir, el *ka* necesitaba el cuerpo del difunto para acceder a la vida en el Más Allá, por lo que se procedía a su momificación. Sin embargo, previamente a la incorporación al mundo divino el difunto era sometido a un juicio: la psicostasia. Si superaba la prueba, era presentado al dios Osiris, el soberano del reino de los muertos; si fracasaba, se convertía en un ser demoníaco y entonces era condenado al infierno.

el Devorador
en caso de que el difunto no superara la prueba, este monstruo procedía a devorar su corazón

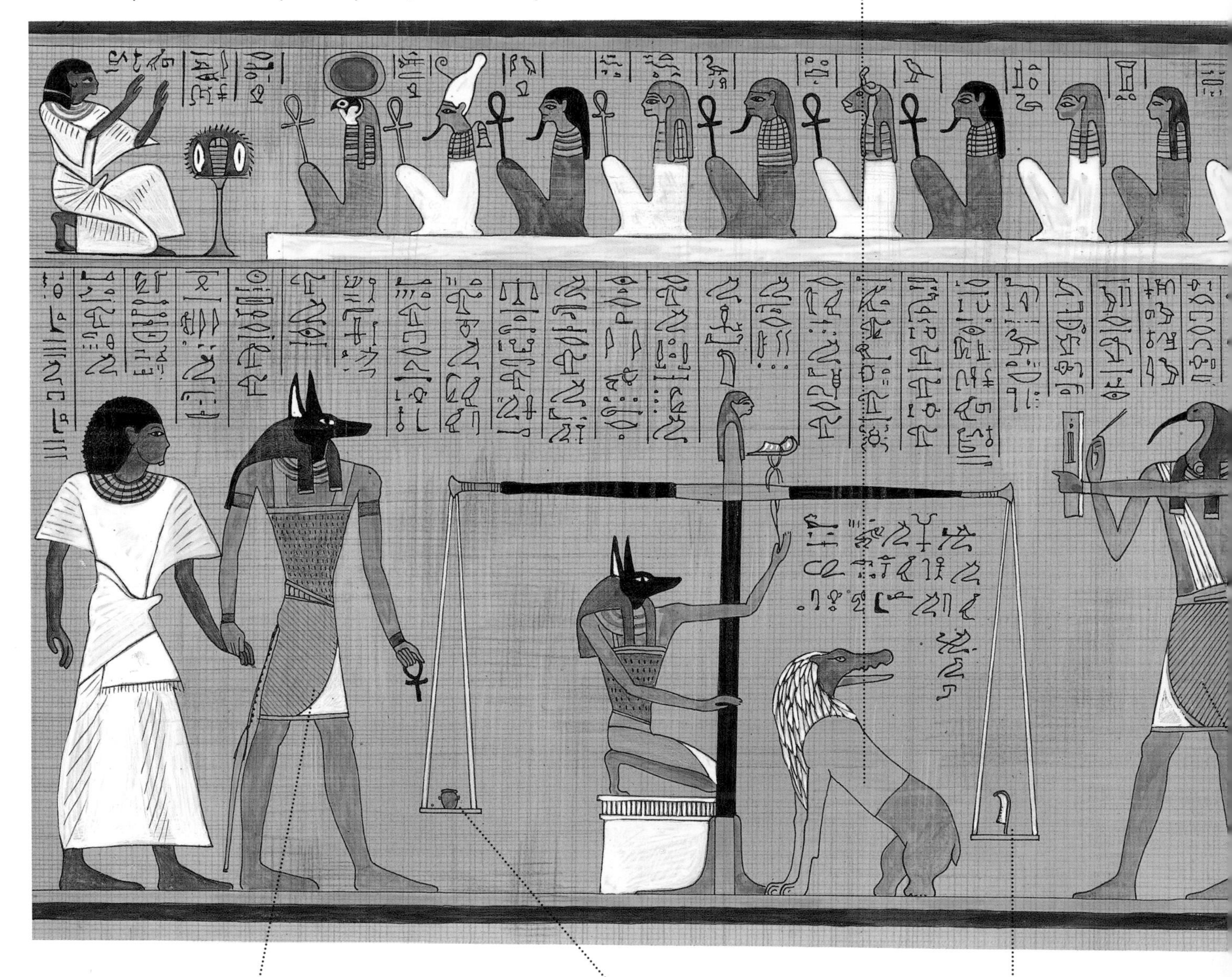

Anubis
era el dios de la momificación; extraía el corazón del cadáver para pesarlo en el juicio presidido por Osiris y conducía al difunto hasta el tribunal

corazón
la prueba consistía en pesar el corazón del difunto en una balanza; el contrapeso era *maat*, concepto del recto orden, representado por la diosa del mismo nombre

Maat
diosa de la verdad, la justicia y la armonía; a veces se la representaba con una pluma de avestruz

El proceso de momificación

En primer lugar, se extraían los órganos internos y se deshidrataba el cadáver. Luego se envolvía el cuerpo con vendas y se rociaba con resinas y aceites para eliminar el hedor.

EL LIBRO DE LOS MUERTOS

Estaba formado por una serie de conjuros y fórmulas mágicas que protegían al difunto en su viaje al Más Allá. Se solía escribir en papiros y se depositaba junto al fallecido, pero también se reproducían fragmentos en los muros de los sepulcros.

los cuatro Hijos de Horus
las vísceras del difunto se guardaban en cuatro recipientes o vasos canopes que representaban unas divinidades denominadas Hijos de Horus

Tot
el dios escriba de la sabiduría y de la justicia anotaba el resultado

Horus
este dios era el encargado de conducir al difunto hasta el trono de Osiris

Osiris
el dios de los muertos presidía el tribunal y emitía el veredicto

EL HOGAR DE LA DIVINIDAD

Los arquitectos del antiguo Egipto crearon enormes y prodigiosos templos en honor de sus dioses y sus faraones. Estos inmensos edificios eran de uso casi exclusivo del faraón y los sacerdotes: el pueblo sólo tenía acceso al patio, donde asistía a las ceremonias que tenían lugar en el interior; los miembros de clases más altas, como funcionarios, escribas..., podían llegar hasta la sala hipóstila, y sólo los más altos mandatarios estaban autorizados a atravesar la puerta de la sala de la barca con los sacerdotes. El faraón y los sumos sacerdotes eran los únicos que podían estar junto a la estatua del dios.

pilono
dos grandes torres trapezoidales que flanqueaban la puerta principal; delante se solían situar estatuas colosales del faraón

patio
espacio abierto circundado de columnas por tres lados y que daba acceso a las estancias de uso restringido

avenida de esfinges
camino de acceso al templo, vigilado y protegido por las esfinges

EL OBELISCO

En la teología egipcia los obeliscos eran la materialización en piedra del primer rayo de luz que creó el universo. Erigidos delante de los templos y otros edificios importantes por los soberanos con ocasión de grandes eventos, solían contener inscripciones dedicadas a los dioses.

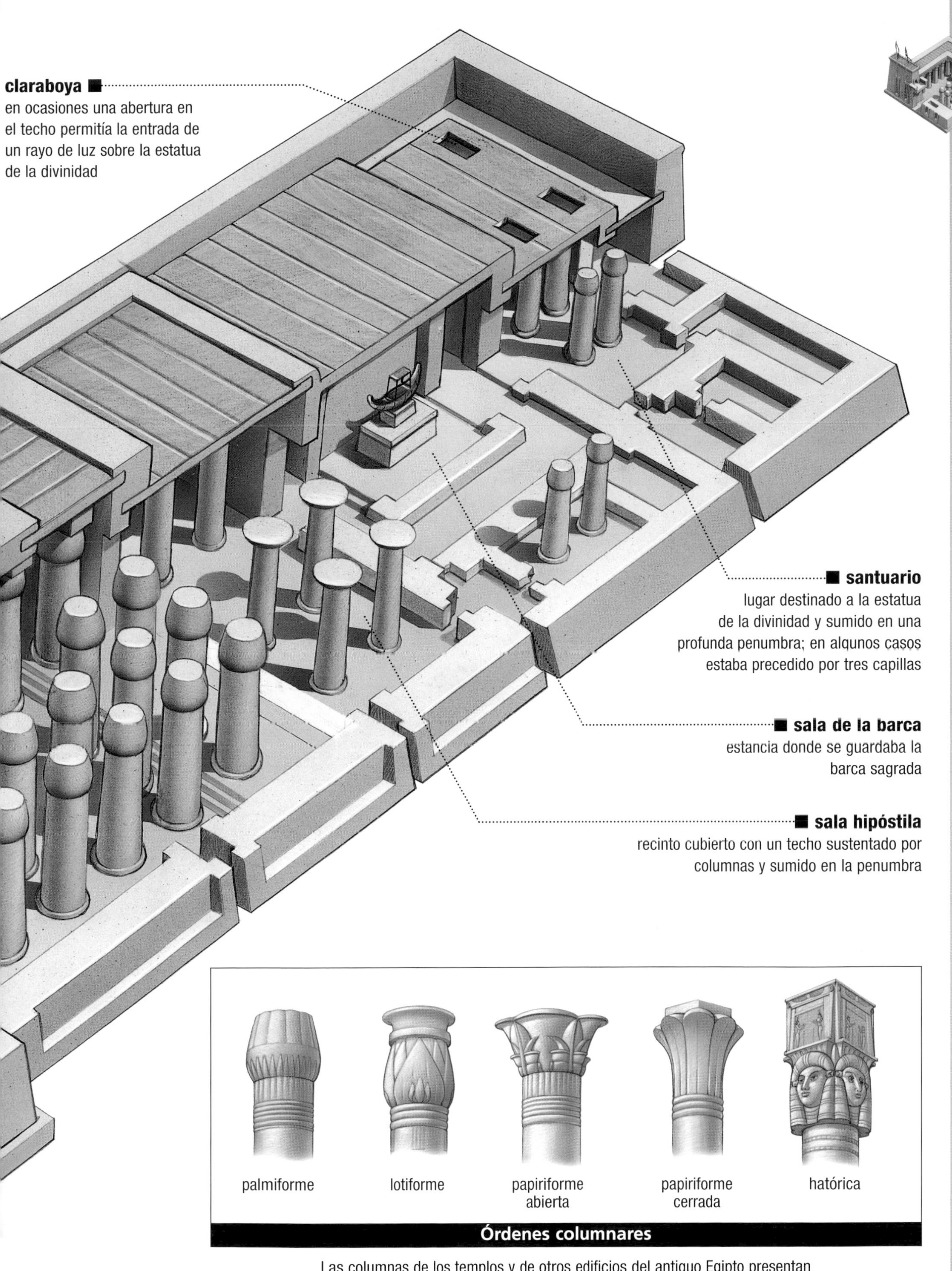
claraboya
en ocasiones una abertura en el techo permitía la entrada de un rayo de luz sobre la estatua de la divinidad
santuario
lugar destinado a la estatua de la divinidad y sumido en una profunda penumbra; en algunos casos estaba precedido por tres capillas
sala de la barca
estancia donde se guardaba la barca sagrada
sala hipóstila
recinto cubierto con un techo sustentado por columnas y sumido en la penumbra
palmiforme
lotiforme
papiriforme abierta
papiriforme cerrada
hatórica

Órdenes columnares

Las columnas de los templos y de otros edificios del antiguo Egipto presentan distintas formas, que por lo general respondían a estilizaciones vegetales. Éstas son algunas de las más importantes.

EL ENIGMA DE LOS ESCRIBAS

Los antiguos egipcios utilizaron fundamentalmente tres sistemas de escritura. El más conocido y espectacular es el jeroglífico, que contiene dos tipos de símbolos: los ideogramas y los fonogramas. Los primeros representan el objeto que se dibuja o algo estrechamente relacionado con él; los segundos son símbolos fonéticos. Las otras dos formas de escritura egipcia son la hierática, o jeroglífica cursiva, y la demótica, que es una forma simplificada de la anterior.

jeroglíficos se empleaban para inscripciones monumentales y decorativas; se trazaban de derecha a izquierda

paleta tenía dos orificios para la tinta y una hendidura para los pinceles

Jeroglíficos reales

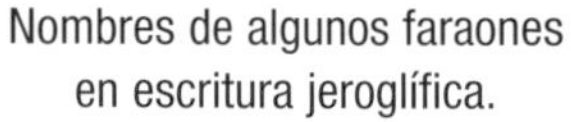

Nombres de algunos faraones en escritura jeroglífica.

LA CLAVE PARA DESCIFRAR LA ESCRITURA JEROGLÍFICA

En 1799, en Rosetta (ciudad en la desembocadura del Nilo), se descubrió una estela de basalto negro cuyas inscripciones presentaban tres tipos de escritura: jeroglífica, demótica y griega. Estos textos sirvieron al arqueólogo francés Jean-François Champollion para descifrar la escritura jeroglífica de los antiguos egipcios.

escriba
era un alto funcionario del estado. Además de saber escribir, conocía las leyes y calculaba los impuestos

tablero
se utilizaba como soporte del papiro, para que el escriba pudiera trabajar con mayor comodidad

pincel
solía elaborarse con un tallo de junco o de papiro deshilachado por un extremo

ideograma del escriba
este jeroglífico muestra una paleta con incisiones para los pigmentos, y un recipiente para el agua y los pinceles

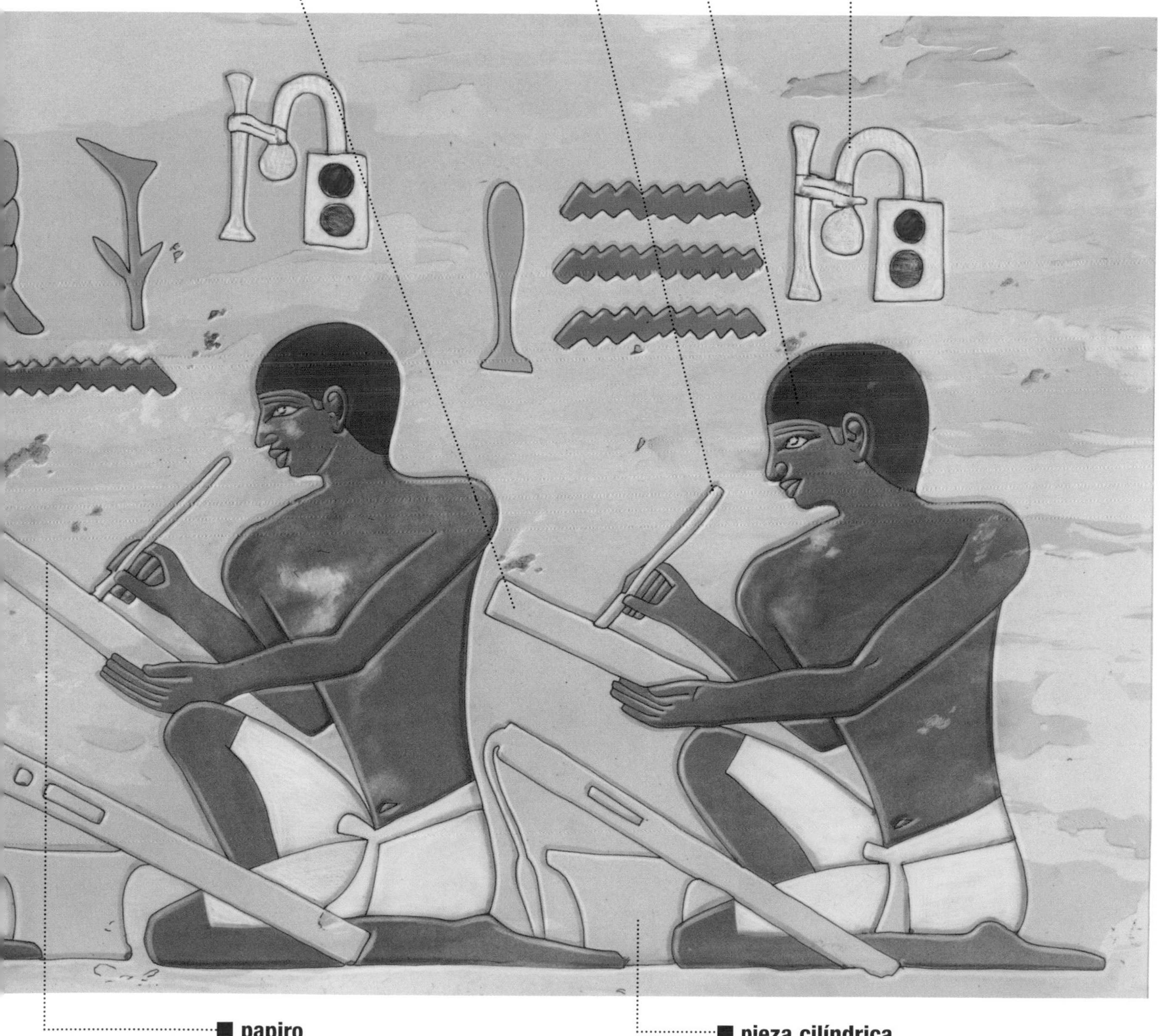

papiro
la médula del tallo de esta planta se empleaba para elaborar una pasta parecida al papel

pieza cilíndrica
servía para apoyar el tablero donde el escriba extendía el papiro

LA MALDICIÓN DEL FARAÓN

Este joven faraón del antiguo Egipto, yerno de Ajnatón, a quien sucedió, es conocido sobre todo porque su tumba, situada en el Valle de los Reyes, se libró del saqueo y la expoliación. La tumba real fue descubierta en el año 1922 por el arqueólogo británico Howard Carter. Las magníficas piezas de arte y joyas halladas en el interior, pertenecientes a su ajuar funerario, se pueden contemplar ahora, después de tres mil años de oscuridad, en el Museo Arqueológico de El Cairo.

LA MALDICIÓN

La muerte de diversas personas relacionadas con el descubrimiento de la tumba real de Tutankhamón en circunstancias poco comunes, así como otros incidentes extraños sucedidos en las mismas fechas, ha envuelto de misterio el hallazgo del tesoro y alimentado la leyenda de la maldición del faraón.

La máscara

Este extraordinario ornamento funerario colocado directamente encima de la momia es una pieza de oro con incrustaciones de lapislázuli que destaca, además, por su magistral ejecución. Las bellas formas recrean los rasgos del faraón y ponen de manifiesto su temprana edad: 18 años.

antecámara en esta estancia se conservaban múltiples objetos, entre ellos tres camas funerarias y un carro del tesoro

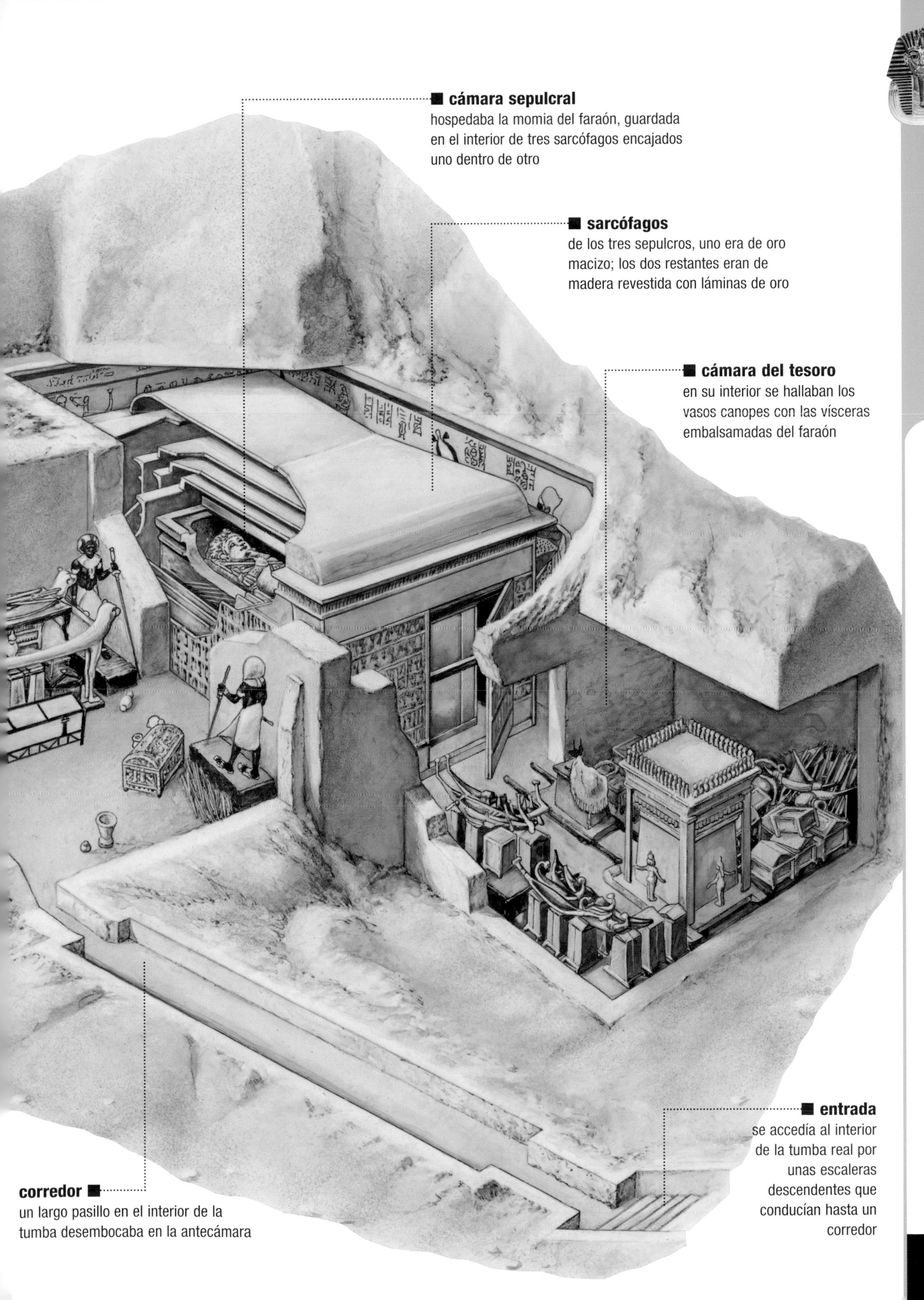

cámara sepulcral
hospedaba la momia del faraón, guardada en el interior de tres sarcófagos encajados uno dentro de otro
sarcófagos
de los tres sepulcros, uno era de oro macizo; los dos restantes eran de madera revestida con láminas de oro
cámara del tesoro
en su interior se hallaban los vasos canopes con las vísceras embalsamadas del faraón
entrada
se accedía al interior de la tumba real por unas escaleras descendentes que conducían hasta un corredor
corredor
un largo pasillo en el interior de la tumba desembocaba en la antecámara

LA REINA DE REYES

La última soberana de Egipto, Cleopatra VII, reinó de los años 51 al 30 a.C. Hija de Tolomeo XII, a la muerte de éste luchó con su hermano por el poder. Fue amante del emperador Julio César y de Marco Antonio, con el que se casó. El suicidio de este último la empujó a quitarse también ella la vida. Cesarión, su hijo y heredero, fue condenado a muerte por el futuro emperador de Roma, Octavio, y Egipto pasó a formar parte del Imperio romano.

Tolomeo I
este general del ejército de Alejandro el Magno se erigió en faraón de Egipto en el año 305 a.C. y fundó la dinastía tolemaica

Julio César
general romano que ayudó a Cleopatra en su lucha por destronar a su hermano Tolomeo XIII

Tolomeo XIII
Tolomeo XII fue sucedido en el trono por sus hijos Cleopatra y Tolomeo XIII. Este último, animado por sus consejeros, asumió el control del estado y obligó a su hermana al exilio

UNA VIDA DE PELÍCULA

La belleza y el carácter seductor y ambicioso de Cleopatra ha fascinado desde siempre a artistas, músicos y escritores. Asimismo, distintas versiones cinematográficas han recreado su vida; de todas ellas, quizá la más famosa es la del director Joseph Mankiewicz, con Elizabeth Taylor en el papel de la última reina de Egipto.

Hatsepsut: la reina de un imperio

Antes que Cleopatra hubo otra gran reina egipcia: Hatsepsut, hija de Tutmosis I y esposa de Tutmosis II, que actuó como regente de Tutmosis III durante dos años y después se proclamó soberana de Egipto.

■ **Marco Antonio**
gobernador romano de los territorios orientales del imperio. Tras ser derrotado por Octavio en la batalla de Actium se suicidó

■ **Cesarión**
hijo de Julio César y de Cleopatra y heredero de Egipto. Fue mandado asesinar por Octavio

■ **Octavio**
gobernador romano de los territorios occidentales del imperio y futuro emperador de Roma con el nombre de Augusto

■ **muerte de Cleopatra**
según una antigua tradición, Cleopatra, para evitar ser humillada por Octavio tras la muerte de su protector, Marco Antonio, eligió morir por la picadura de un áspid

CRONOLOGÍA

PERÍODO	FECHA	DINASTÍA
Período Predinástico	5000 - 3100 a.C.	
Período Arcaico	3100 - 2890 a.C.	I
	2890 - 2686 a.C.	II
Imperio Antiguo	2686 - 2613 a.C.	III
	2613 - 2494 a.C.	IV
	2494 - 2345 a.C.	V
	2345 - 2181 a.C.	VI
Primer Período Intermedio	2181 - 2173 a.C.	VII
	2173 - 2160 a.C.	VIII
	2160 - 2130 a.C.	IX
	2130 - 2040 a.C.	X
	2133 - 1991 a.C.	XI
Imperio Medio	1991 - 1786 a.C.	XII
Segundo Período Intermedio	1786 - 1633 a.C.	XIII
	1786 - 1603 a.C.	XIV
	1674 - 1567 a.C.	XV
	1684 - 1567 a.C.	XVI
	1650 - 1567 a.C.	XVII
Imperio Nuevo	1567 - 1320 a.C.	XVIII
	1320 - 1200 a.C.	XIX
	1200 - 1085 a.C.	XX
Tercer Período Intermedio	1085 - 945 a.C.	XXI
	945 - 730 a.C.	XXII
	817(?) - 730 a.C.	XXIII
	720 - 715 a.C.	XXIV
	715 - 668 a.C.	XXV
Período Tardío	664 - 525 a.C.	XXVI
	525 - 404 a.C.	XXVII
	404 - 399 a.C.	XXVIII
	399 - 380 a.C.	XXIX
	380 - 343 a.C.	XXX
	343 - 332 a.C.	XXXI
Conquista de Alejandro el Magno	332 a.C.	
Período Tolemaico	332 - 30 a.C.	
Conquista de los romanos y muerte de Cleopatra	30 a.C.	

GLOSARIO

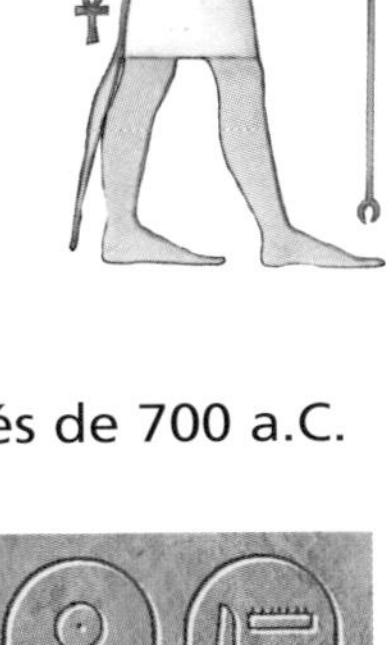

Amuletos Joyas que prestaban poderes mágicos y protección a su dueño.

Antropomorfismo Proceso por el cual los dioses adquirían características físicas humanas o semihumanas.

Barca sagrada Embarcación especial en la que se trasladaba la estatua del dios durante las ceremonias religiosas.

Coloso Representación escultórica de grandes dimensiones, habitualmente del faraón o su esposa.

Demótica Escritura derivada de los jeroglíficos, utilizada después de 700 a.C. para textos legales, comerciales y literarios.

Hierática Escritura cursiva derivada de los jeroglíficos, utilizada en muchos textos laicos y religiosos.

Jeroglífico Escritura pictórica que transmitía el lenguaje del antiguo Egipto. Utilizada tradicionalmente para textos religiosos y en monumentos.

Libro de los Muertos Texto funerario que contenía una serie de instrucciones para facilitar al difunto el acceso a la inmortalidad.

Mastaba Tumba formada por una cámara funeraria y una capilla para las ofrendas. La palabra "mastaba" (en árabe: banco, en forma de banco) describe la forma de banco de su estructura externa.

Momificación Método para conservar el cuerpo mediante la extracción de las vísceras y la deshidratación.

Obelisco Piedra vertical terminada en forma de pirámide que era el símbolo del culto al sol.

Papiro Planta a partir de la cual se obtenía una especie de papel para la escritura.

Pilono Fachada constituida por dos sólidas torres de piedra que flanqueaba la entrada al templo.

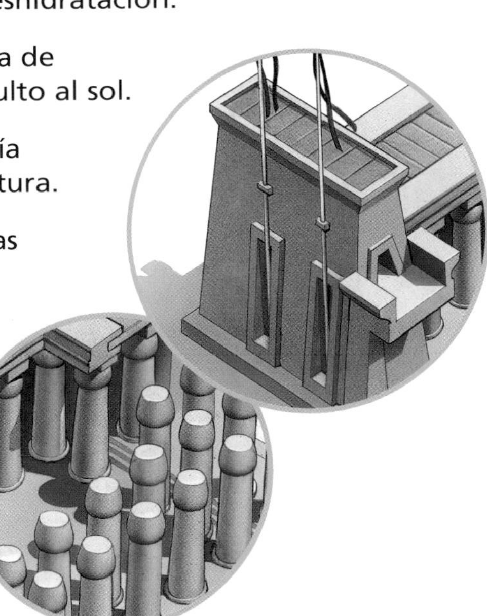

Sala hipóstila Parte de un templo cubierta con techumbre sostenida por columnas.

Vasos canopes Cuatro vasijas en las que se almacenaban las vísceras del difunto extraídas durante la momificación.